Y0-BWW-835

Ce livre appartient à :

....

48, rue Montmartre
75002 Paris

Réalisation : Intexte

ISBN : 978-2-7532-0736-3

Imprimé en Chine

Cottage Farm,
Sywell,
NN6 OBJ

À raconter en 5 minutes

Histoires de Princesses

10
9

Sommaire

De délicieux cupcakes

La princesse Cathy observe Irène, la cuisinière du château, qui prépare de délicieux cupcakes et elle se lèche les babines. « Puis-je en prendre un ? » demande Cathy. « La reine réserve ces gâteaux pour une occasion particulière », répond Irène en secouant la tête.

Contrariée, la princesse s'en va d'un pas lourd. « Ce n'est pas juste ! marmonne-t-elle. Je voulais seulement en goûter un. »
Lorsque les cupcakes sont cuits, Cathy se faufile jusqu'à la table où ils sont posés et en prend un. Elle le trouve si bon qu'elle en prend un autre, puis un autre jusqu'à ce qu'il n'en reste plus un seul.

Un moment plus tard, Irène revient dans la cuisine et découvre Cathy se tenant le ventre en gémissant. « Où sont tous les cupcakes ? s'écrie-t-elle. Je les avais préparés pour le goûter de la reine cet après-midi. »
« Je les ai tous mangés, bredouille Cathy. Et maintenant, je suis malade ! »

« Eh bien, tu vas m'aider à en préparer d'autres », répond Irène, sévèrement, en tendant un tablier à Cathy. La princesse ne se sent pas du tout en forme pour faire de la pâtisserie, mais elle aide tout de même Irène à mélanger les ingrédients et à faire cuire de superbes cupcakes juste à temps pour le goûter de la reine.

Lorsque les gâteaux sont prêts, Cathy les recouvre délicatement d'un joli glaçage. Puis elle les décore de petites fleurs de sucre et de dragées. Les nouveaux cupcakes sont magnifiques et Cathy est très impatiente de les montrer à la reine.

Tous les invités du goûter sont émerveillés par les cupcakes et les trouvent délicieux. « Tu peux en prendre un si tu veux ! » propose la reine à Cathy.
Cathy tourne la tête vers Irène et se met à rire. « Non, merci, Maman ! répond-elle. Je crois que j'ai mangé assez de cupcakes pour aujourd'hui ! »

Béatrice la danseuse

« Je veux être danseuse ! » déclare un jour la princesse Béatrice, virevoltant dans le château. Elle se dresse sur les pointes et fait des arabesques, mais la reine est trop occupée à compter ses couronnes pour la regarder. « 18, 19, 20... Oh, pardon, je ne peux pas m'arrêter maintenant. Va en parler à ton père », répond la reine.

Béatrice se dirige donc en dansant vers le salon où son père écoute jouer les musiciens royaux. « Regarde-moi, Papa. Je fais des pirouettes », lui dit-elle.

« Je ne peux pas te regarder pour l'instant, crie le roi pour couvrir le bruit de la musique. Tu me montreras plus tard. »

« Pfff ! marmonne la princesse. Tout le monde est trop occupé pour me regarder danser. »

Ce soir-là, la princesse Béatrice a une idée géniale. Elle rampe hors de son lit et descend tout doucement les escaliers. Dans la salle de musique, les musiciens sont en train de ranger leurs instruments. « Pouvez-vous m'aider à choisir un morceau ? leur demande Béatrice. Je voudrais préparer un ballet en secret et j'ai besoin de votre aide. »

Le lendemain soir, Béatrice se rend chez la costumière du château. Elle choisit un coupon de joli satin, de belles dentelles et des sequins. La costumière prend ses mesures, puis taille dans le tissu, pique et coud pendant des heures. À la fin de la nuit, elle a réalisé une magnifique tenue de danseuse pour Béatrice.

Béatrice demande ensuite au peintre royal d'exécuter de beaux tableaux. Puis, elle se rend à la cuisine pour demander à la cuisinière de préparer de délicieuses gourmandises. Enfin, elle réalise de très belles cartes d'invitation. Bientôt, tout est prêt pour la représentation secrète.

Le lendemain, le roi et la reine se réunissent dans la salle de musique du château. Ils sont stupéfaits en voyant un rideau s'ouvrir. La princesse Béatrice apparaît virevoltant et tournoyant sur la scène. « Quel magnifique spectacle ! » s'écrie le roi en applaudissant à tout rompre. Béatrice, heureuse, sourit et fait la révérence. Être danseuse est vraiment merveilleux !

Le compagnon idéal

La princesse Lily rêve de posséder un animal de compagnie mais elle a beau supplier ses parents, le roi et la reine, ils s'y refusent définitivement. Aussi, un jour, Lily décide d'aller elle-même s'acheter un petit compagnon. Pendant que la reine bavarde, elle se rend à l'animalerie.

Les animaux sont très nombreux, tous plus mignons les uns que les autres, mais celui qu'elle préfère est un adorable bébé dragon couvert d'écailles mauves et doté de petites ailes roses.
« Je suis sûre que tu ne me causeras aucun tracas ! » lui dit Lily, en le prenant dans ses bras.

Lorsque Lily rentre au château, le dragon commence par détruire une armure avant d'érafler le trône du roi avec ses griffes acérées. Le roi est furieux jusqu'au moment où le dragon se blottit sur ses genoux. « Il est tout de même mignon ! » reconnaît-il juste avant que le dragon ne se mette à cracher et à enflammer sa barbe.

Cet après-midi-là, la reine découvre le bébé dragon en train de mordiller ses plus jolies chaussures. Elle le chasse et le dragon s'envole. Il virevolte dans la pièce, renversant les bibelots et bousculant les tableaux. « Cet animal doit s'en aller ! » déclarent le roi et la reine à la princesse Lily.

Lily attrape donc le bébé dragon et le met dans son sac à dos pour le ramener à l'animalerie. « Je suis sûre qu'ils te trouveront une nouvelle maison charmante », assure-t-elle au dragon en lui faisant un dernier baiser sur le museau. Puis elle repart pour le château, déçue et triste.

Lorsque la princesse Lily arrive, le roi et la reine l'attendent dans le jardin. « Nous avons décidé de t'autoriser à avoir un animal de compagnie, lui dit la reine. Mais il y a une condition : ce sera un lapin ! » Lily est folle de joie. Le bébé dragon était amusant mais un adorable petit lapin causera moins de dégâts !

La princesse Emma a le hoquet

La princesse Emma ne cesse d'avoir le hoquet. Elle a le hoquet en prenant son petit-déjeuner et crache ses céréales partout. Elle a le hoquet en buvant son jus d'orange et éclabousse le visage du pauvre majordome. Elle effraie même le chat avec un « HIC ! » extrêmement sonore !

« Je vous en prie, aidez-moi à faire passer ce hoquet ! » dit Emma suppliante au majordome en train d'essuyer le jus d'orange sur son visage. « Essayez de retenir votre respiration et de sautiller sur un pied », suggère-t-il.

Emma ne respire plus et saute autour de la pièce . Son visage devient de plus en plus rouge jusqu'au moment où on entend un énorme « HIC ! ».

« Ça ne marche pas ! » déclare Emma. Elle décide d'aller voir le roi, qui est en train de regarder la télévision dans le salon du château.
« Enfile des chaussettes sur tes mains et marche tête en bas, lui conseille-t-il. C'est une solution radicale ! »
Emma obéit à son père, mais le hoquet ne fait qu'empirer.

Emma se rend ensuite à la bibliothèque où la reine est en train de lire. « Faire passer le hoquet est très facile ! déclare la reine. Il suffit de poser un livre en équilibre sur sa tête et de marcher à reculons. » Emma attrape le livre le plus proche et commence à faire marche arrière, manquant de justesse de piétiner le chat en hoquetant bruyamment, « HIC ! »

« Peut-être un peu d'air frais me ferait-il du bien ! » pense Emma en sortant dans le jardin avec un grand « HIC ! ». Entendant qu'Emma a le hoquet, le jardinier a une idée. « Gonflez vos joues et sautez comme un singe ! » lui propose-t-il. Emma gonfle donc ses joues et se met à sauter dans tous les sens.

Soudain, Emma aperçoit son reflet sur l'une des fenêtres du château.
« J'ai vraiment l'air stupide ! » s'écrie-t-elle en éclatant de rire.
La princesse Emma a un fou rire interminable. Lorsqu'il s'arrête,
le hoquet a disparu. Elle a enfin trouvé une méthode pour le faire
cesser. «La prochaine fois, je n'oublierai pas que le fou rire est le bon
remède ! » s'exclame-t-elle.

La robe de bal d'Annabelle

Un grand bal est donné aujourd'hui au château. La reine ordonne à Annabelle d'enfiler une belle robe. « Je ne veux pas aller au bal ! se plaint Annabelle. Je préfère faire du vélo. »

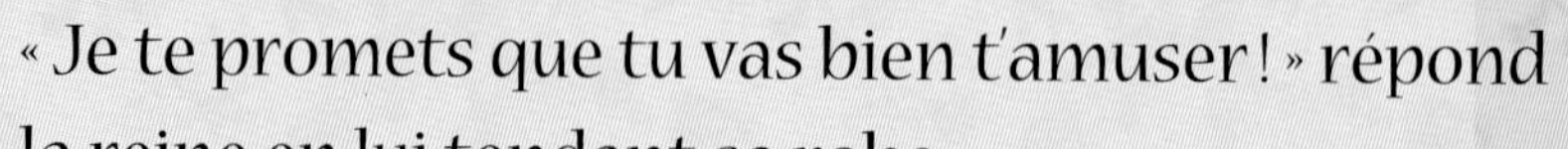

« Je te promets que tu vas bien t'amuser ! » répond la reine en lui tendant sa robe.

« Cette robe est banale, mais je sais comment la rendre plus jolie », pense Annabelle. Elle attrape la robe et sort dans le jardin. « Puis-je prendre quelques fleurs ? » demande-t-elle poliment au jardinier. « Bien sûr ! » répond-il en cueillant les plus belles.

Annabelle rend ensuite visite au joaillier du château qui est en train de compter des rubis. « Excusez-moi ! dit Annabelle. Puis-je vous emprunter quelques pierres précieuses ? »
Le joaillier trouve quelques magnifiques pierres qui sont tombées de vieilles couronnes. « Parfait ! Merci ! dit Annabelle. Il me reste encore une visite à faire. »

Dans l'atelier de couture du château, la couturière aide Annabelle à coudre des fleurs et à fixer des pierres précieuses sur sa robe. Lorsque la robe est terminée, Annabelle se dépêche de se préparer. « Je ne veux pas être en retard au bal ! » pense-t-elle.

L'orchestre a déjà commencé à jouer lorsque Annabelle entre dans la salle de bal. Tout le monde s'arrête de danser pour la regarder vêtue de sa somptueuse robe. Les pierres précieuses brillent de mille feux et les fleurs dégagent un parfum délicieux. Annabelle porte la plus jolie robe du bal.

« Maintenant, tu es une véritable princesse ! » s'écrie la reine en souriant. Avec un large sourire, Annabelle soulève le bas de sa robe et court sur la piste de danse. Finalement, ce bal est plutôt agréable et personne n'a remarqué qu'elle a oublié de retirer ses baskets.

Le cadeau de la princesse Margaux

La princesse Margaux se prépare pour la fête d'anniversaire de sa meilleure amie. Elle enfile une jolie robe et brosse ses cheveux jusqu'à ce qu'ils soient bien lisses. En attrapant le bouquet de fleurs qu'elle a acheté pour offrir à la princesse Alicia, elle a une surprise désagréable.

Une limace gluante a rampé sur les feuilles et grignoté tous les jolis pétales.
« Oh, beurk ! s'écrie Margaux. Je ne peux plus offrir ces fleurs à Alicia ! »
Heureusement, Margaux a prévu autre chose pour son amie.
Après avoir pris du papier cadeau, elle se rend très vite à la cuisine.

« Veux-tu un chocolat ? » demande le roi à Margaux alors qu'elle entre dans la pièce. Il lui propose un appétissant chocolat au caramel et à la fraise.

« Oh, non ! gémit Margaux. Je les avais achetés pour Alicia. »

« Hum ! répond le roi en avalant le dernier chocolat. Ils sont délicieux. »

« Je peux toujours offrir à Alicia le collier que j'ai acheté l'autre jour », pense Margaux en sortant très vite. Passant devant sa petite sœur Audrey, elle aperçoit le collier autour du cou de sa poupée. « Rends-moi ce collier ! » s'écrie Margaux en s'emparant de l'objet. Crac ! Le collier se casse et les perles se répandent sur le sol.

« Je ne peux pas me rendre à la fête d'Alicia sans cadeau ! » s'écrie Margaux. « Ne t'inquiète pas, nous allons fabriquer quelque chose ! » lui répond gentiment Audrey. Les deux sœurs sortent leur boîte à ouvrage et se mettent au travail. Margaux colle des sequins et Audrey, des paillettes multicolores.

Lorsque la princesse Margaux arrive à la fête, la princesse Alicia est très impatiente d'ouvrir son cadeau. Elle défait précipitamment le papier et fait un grand sourire. « Quelle magnifique couronne ! Merci, Margaux ! C'est un cadeau merveilleux ! »

Le concours de beauté des animaux

La princesse Amélia est très impatiente d'assister au concours de beauté des animaux qui a lieu aujourd'hui au château.

Elle passe la matinée à préparer Pop-corn, son poney. Il doit être parfait ! Elle coiffe sa crinière et sa queue, l'équipe d'une nouvelle selle à paillettes et orne sa crinière de pierres précieuses et de plumes.

Amélia trouve Pop-corn magnifique, mais le poney n'est pas content du tout. Il déteste être déguisé ainsi. Il était bien plus heureux au naturel. De plus, une plume lui chatouille le museau et le fait éternuer : « ATCHOUM ! »

Amélia voit bien que Pop-corn est malheureux. Elle finit par lui retirer la selle qui le gratte et décoiffe sa crinière et sa queue. Elle enlève aussi les plumes qui chatouillent son museau, puis l'emmène au défilé. « Nous ne remporterons pas de prix, mais le plus important est que tu te sentes bien ! » lui dit Amélia.

De nombreux animaux sont venus de tout le royaume pour participer au concours. Il y en a des gros et des petits. Ils sont couverts de poils ou de plumes. Il y a un cochon portant des vêtements, un lapin coiffé d'un chapeau et même un poulet portant une couronne. Malheureusement, ils semblent tous très tristes.

Les animaux défilent les uns après les autres devant le jury. Pop-corn et Amélia attendent leur tour en compagnie d'un magnifique paon et d'un caniche à la coiffure extravagante. « Pop-corn est trop naturel, nous ne gagnerons jamais ! » pense Amélia.

Leur tour venu, Amélia se sent nerveuse, tandis que Pop-corn, lui, défile la tête haute, autour du manège. En passant devant le jury, il fait onduler sa crinière en hennissant fièrement. En le voyant aussi sûr de lui, Amélia reconnaît que Pop-corn est superbe, même sans parure !

Les juges sont très impressionnés par l'allure de Pop-corn. « Ce poney remporte le premier prix ! annoncent-ils. Il semble le plus heureux des animaux que nous avons vus aujourd'hui. » Amélia remporte une énorme coupe, tandis que Pop-corn se voit attribuer une belle cocarde. Amélia est très fière de Pop-corn, et la plus heureuse des petites filles.